Königs Erläuterungen und Materia...
Band 413

Erläuterungen zu

Thomas Brussig

Helden wie wir

von Cornelia Walther

1. Auflage 2002
ISBN 3-8044-1764-7
© 2002 by C. Bange Verlag, 96142 Hollfeld
Alle Rechte vorbehalten!
Titelabbildung: Thomas Brussig
Druck und Weiterverarbeitung: Tiskárna Akcent, Vimperk

Inhalt

Vorwort

„Mal angenommen, es hätte ein Land oder so eine Art Zone gegeben, dessen Bewohner durch eine Mauer für – sagen wir mal – 28 Jahre daran gehindert waren, ihr Land oder ihre Zone zu verlassen. Absurd, nicht wahr?"[1]

Nein. Für die Bevölkerung Ostdeutschlands war dies über drei Jahrzehnte hinweg die Realität. Es war eine Zeit der Stagnation, des Ausharrens, des Wartens – eine Zeit ohne jede Möglichkeit, am wirklichen Leben teilhaben zu können. Auch Thomas Brussig wuchs in der DDR[2] auf und erlebte diese unvergleichlich erdrückenden Lebensbedingungen hautnah mit. Bewegt von den Bildern der Vergangenheit und seinen persönlichen Erinnerungen an die Wendezeit sowie sein Unverständnis gegenüber den typischen Wendehälsen[3] begründeten seine Motivation, über genau jenen Zeitabschnitt zu schreiben. Die Wendezeit und das vorherrschende politische System stellen demnach die Grundlage für den politischen Roman *Helden wie wir* (1995) und ebenso für sein 1999 erschienenes Werk *Am kürzeren Ende der Sonnenallee* dar.

Als Autor der neuen Generation, welcher lustvoll erzählt, verblüffend, teilweise respektlos und sehr freizügig schreibt, gelang es ihm, den bisher „originellsten literarischen Nachruf auf die DDR"[4] zu schreiben.

Zwar erläutert Brussig in diesem Roman weder Ursprung noch Ablauf des historischen Ereignisses der Wende, er leitet

---

1 Lahann, Birgit: *Geliebte Zone*. Geschichten aus dem neuen Deutschland, Vorwort
2 DDR = ein aus der sowjetischen Besatzungszone hervorgegangener, zwischen 1949–90 existierender Staat. Bis zum April 1990 war es eine so genannte Volksdemokratie unter der Führung der SED, welche alle politischen, wirtschaftlichen und gesellschaftlichen Organisationen und Aktionen kontrollierte sowie die Massenmedien determinierte.
3 Wendehälse = die Wendigen; passen sich rasch und schnell einer neu gegebenen Situation an, können sie nutzen, verstehen und sich geschickt in ihr bewegen
4 Volker Hage: *Die Enkel kommen*. Spiegel 41/99, S. 245

aber zumindest eine Wende bezüglich der Betrachtung und Aufarbeitung der Vergangenheit ein. Die ältere Generation bevorzugte in dieser Hinsicht eher eine sehr genaue Inventur, beschrieb die Risse, die durch die Gesellschaft gingen, und fragte besorgt nach dem, was bleibt. Die Generation der „Hineingeborenen", zu welcher auch Thomas Brussig gehört, war weniger in diesen Staat involviert und identifizierte sich somit, fast zwangsläufig, bedeutend weniger mit diesem als die Eltern. Dadurch ist auch erklärbar, warum der Autor die DDR-Vergangenheit karikiert, sie fast als „Dauerwitz"[5] darstellt. Dem Autor nach soll sein Wenderoman *Helden wie wir* somit Anlass sein, „sich ernsthaft und vor allem gründlich zu unterhalten und sich über die DDR-Vergangenheit klar zu werden."[6] Thomas Brussigs hervorragende Leistungen spiegeln sich letztendlich nicht nur in den Verkaufszahlen seiner Bücher, in den Verfilmungen seiner Werke, dem regen Andrang vor den deutschen Kinokassen und den vielen positiven Kritiken seiner Schriftstellerkollegen, sondern auch in der Verleihung des Drehbuchpreises der Bundesregierung (zusammen mit Leander Haußmann) und des Hans-Fallada-Preises der Stadt Neumünster wider.

---

5 Simanowski Roberto: *Die DDR als Dauerwitz.* ndl 2/96, S. 160
6 Ebd., S. 159

1. Thomas Brussig: Leben und Werk

1.1 Biografie

Jahr	Ort	Ereignis	Alter
1965	Ostberlin	Geburt als einziges Kind eines Bauingenieurs und seiner Frau; wächst in kleinbürgerlichen Verhältnissen auf.	
1971–1981	Berlin	Schulbesuch	6–16
1981–1984	Berlin	Abitur, Berufsausbildung zum Baufacharbeiter (Abbruch nach 2 Jahren)	16–19
1984–1990	Berlin	Verschiedene Tätigkeiten, wie z. B. Hotelportier, Museumspförtner, Fremdenführer, Tellerwäscher, Reiseleiter, Fabrikarbeiter; zwischenzeitlich ebenso Dienst bei der Armee und bei der Bereitschaftspolizei	19–25
1989		Ein hochschulpolitischer Artikel gilt als seine Erstveröffentlichung, welche im „Tagesspiegel" gedruckt wird.	24
1990		Veröffentlichung einer Reportage über einen Hochstapler im „Sonntag" (später der so genannte „Freitag")	25

Jahr	Ort	Ereignis	Alter
1990–1993	Berlin	Soziologie-Studium (nicht abgeschlossen)	25–28
1991	Berlin	Literarischer Erstversuch *Wasserfarben* unter Pseudonym im Aufbau-Verlag veröffentlicht	26
1992/1993		Idee zum Stoff des späteren Filmes *Sonnenallee*	27/28
ab 1993	Potsdam	Dramaturgie-Studium an der Filmhochschule „Konrad Wolf" in Potsdam-Babelsberg	28
ab 1995		Berufstätig als freier Schriftsteller	30
1995		Veröffentlichung des Wenderomans **Helden wie wir** im Verlag Volk und Welt (Berlin); monatelang Platz 1 der ostdeutschen Bestsellerlisten; Brussig wurde durch grandiosen Erfolg zur Person der Öffentlichkeit (Lesereisen, Interviews, Kreuzfeuer der Kritik)	30
Mai 1996	Berlin	Dramatisierung des Romans *Helden wie wir*, Premiere in den Kammerspielen des Deutschen Theaters Berlin (Ein-Personenstück)	
1999		Veröffentlichung des Werkes *Am kürzeren Ende der Sonnenallee* (Verlag Volk und Welt Berlin)	34

Jahr	Ort	Ereignis	Alter
Herbst 1999		Jahrestag der Mauer; Thomas Brussig wird als „Generalbevollmächtigter für Nostalgie", als „Chronist der untergegangenen DDR", als „Ostexperte" gehandelt[7]; Verfassung des Drehbuches zum Roman *Am kürzeren Ende der Sonnenallee* Am 7. Oktober Premiere des Filmes *Am kürzeren Ende der Sonnenallee*, „Komödieninszenierung"[8] und „Kulturhappening"[9]. *Am kürzeren Ende der Sonnenallee* wird einschlagender Kinoerfolg.	
9. Nov. 1999		Deutschlandweit Premiere des Films *Helden wie wir*	
1999		**Drehbuchpreis der Bundesregierung** (zusammen mit Leander Haußmann) für den Film *Am kürzeren Ende der Sonnenallee*	34
2000	Mainz	Uraufführung des Stückes *Heimsuchung* im Staatstheater Mainz	35
2000	Neumünster	**Hans-Fallada-Preis**	35
2001		Erzählung *Leben bis Männer* Dezember: Uraufführung *Leben bis Männer* am Deutschen Theater Berlin	36

---

7   Hage, Volker: *Jubelfeiern wird 's geben.* Interview mit Thomas Brussig. Spiegel 36/99, S. 255–257
8   Forchner, Hanka: *Über allem strahlt die Sonne.* Focus 45/99, S. 294
9   Ebd.

1.2 Zeitgeschichtlicher Hintergrund

Geschichte hat einen wichtigen politisch-moralischen Einfluss auf das Verständnis der Gegenwart und die Gestaltung der Zukunft einer Gesellschaft. Deshalb ist die Aufarbeitung der Geschichte eine wesentliche Voraussetzung, um Lehren zu ziehen, die dazu beitragen können, Fehler der Vergangenheit künftig zu vermeiden. Seit der Wende 1989 bemühen sich verschiedene Autoren mit ihren Werken, eine literarische Analyse des DDR-Systems vorzulegen, um das System, in dem sie lebten – und damit auch ihr eigenes Leben – besser verstehen zu können.

Thomas Brussig liefert mit dem Wenderoman *Helden wie wir* weniger eine Abrechnung mit der DDR, sondern zeigt – wenn auch sehr ironisch und deutlich karikiert – das Alltagsleben der DDR-Bürger, speziell das des Ich-Erzählers Klaus Uhltzscht und seiner Familie.

Honecker-Ära

Die Handlungszeit beginnt 1968 und endet mit dem Mauerfall 1989. Diese Zeit ist von der so genannten „Honecker-Ära" geprägt. Unter seiner Regierung (Amtsantritt 1971) begann ein relativ stetiger Wirtschaftsaufschwung – die DDR wurde zum zweitstärksten Industriestaat im RGW[10]. Die Bevölkerung erreichte – trotz der Engpässe in der wirtschaftlichen Versorgung des Landes – den höchsten Lebensstandard innerhalb des Ostblocks. Immer mehr Menschen waren stolz auf dieses „Wirtschaftswunder" aus eigener Kraft. Darüber hinaus versuchte die SED ausdrücklich Traditionsbewusstsein und „sozialistisches Nationalgefühl" als Klammer der Staatsordnung zu vermitteln. Schuli-

---

10 RGW = Rat für gegenseitige Wirtschaftshilfe; Wirtschaftsvereinigung aller sozialistischen Länder

sche Erziehung, der Jugendverband (FDJ und die Pionierorganisation), Zeitungen/Zeitschriften sowie das DDR-Fernsehen standen ganz im Dienst der sozialistischen Ideologie der DDR-Partei- und Staatsführung. Nicht selten werden ehemalige SED-Mitglieder als „Einpeitscher" des Systems geschildert. So gab es mit Sicherheit auch eine Vielzahl von Parteimitgliedern, die daran glaubten, einer neuen, gerechteren Gesellschaft zu dienen.

In der Bildungspolitik wurde der Schwerpunkt darauf gelegt, dass „kluge Sozialisten mit den Errungenschaften revolutionärer Kämpfer"[11] die Schule verließen und „hervorragend ausgebildete Facharbeiter"[12] in der Berufsausbildung wurden. Arbeiterkinder mit hoher gesellschaftlicher Aktivität und festem Klassenstandpunkt im Sinne der SED sollten deshalb ganz besonders gefördert werden (z. B. mit einem Studienplatz). Die autoritären Strukturen des Staates wurden aber nicht von vielen Bürgern durchdrungen. Die Mehrheit der Bevölkerung wollte sie vielleicht auch gar nicht bemerken, man hatte sich trotz Kritik am System arrangiert und in den Staat integriert. Natürlich war der unmittelbare Systemvergleich zwischen DDR und BRD allgegenwärtig – die elektronischen Westmedien lieferten ihn täglich frei Haus. Über sie war (bis auf wenige regionale Gebiete, in denen es keinen Empfang gab) zu sehen und zu hören, wie die Westdeutschen lebten, die jederzeit die schillernd bunten Waren in großer Auswahl kaufen konnten. Trotz Unzufriedenheit über manche Versorgungsschwierigkeiten glaubte die große Mehrheit lange Zeit ehrlichen Herzens an den Bestand der sozialistischen Gesellschaft und gab nach dem Slogan der SED-Partei „Plane mit! Arbeite mit!

> autoritäre Strukturen des Staates

> Slogan der SED-Partei „Plane mit! Arbeite mit! Regiere mit!"

---

11 Volksbildungsministerin Margot Honecker auf dem VIII. Parteitag der SED
12 Ebd.

Regiere mit!" in täglicher Arbeit ihr Bestes, engagierte sich aktiv in den verschiedenen Massenorganisationen und wollte ein guter, politisch mehr oder weniger überzeugter Staatsbürger sein, der ähnlich der Hauptfigur im „Heldenroman" ganz im Dienst der historischen Mission der Arbeiterklasse steht.

Bei der Aufarbeitung der DDR-Vergangenheit ist es sicher wenig hilfreich, die ehemalige DDR-Bevölkerung vereinfachend in „Täter" und „Opfer" aufzuteilen. Die Mehrheit war weder der einen noch der anderen Seite zuzuordnen, sondern stand hingerissen zwischen Anpassung und Widerstand, zwischen Hoffnung und Enttäuschung, Bejahung und Kritik.

1.3 Angaben und Erläuterungen zu wesentlichen Werken

Thomas Brussigs Erstlingswerk *Wasserfarben* (1991) erschien unter dem Pseudonym Cordt Berneburger. Aus

> Erstlingswerk *Wasserfarben* (1991) hatte keinen Erfolg

Gründen der Authentizität schrieb er in der Ich-Erzählperspektive und äußerte sich dazu wie folgt: „Die *Wasserfarben* sind ein sehr ehrliches und auch persönliches Buch, da musste es einfach ein Ich sein."[13]

Das Buch hatte jedoch keinen Erfolg – als der Roman im Aufbauverlag erschien, „gab es die DDR nicht mehr und niemand wollte noch ein Buch von einem Ostdebütanten lesen."[14] Brussigs Erstlingswerk, welches seine Leser kaum erreichte, konnte somit kein Erfolg werden. (Allerdings führte Thomas Brussig 2001 eine sehr erfolgreiche Lesereise mit diesem Buch durch und hofft somit, dass dieses Werk trotzdem noch seine Leser finden wird.)

1995 entstand nach intensiver Beschäftigung mit der DDR-Vergangenheit der Wende- und Schelmenroman *Helden wie wir*, welcher einen großen Erfolg erlebte. Das Buch war wochenlang auf den vorderen Plätzen der Bestsellerlisten zu finden und wurde in zahlreiche Sprachen übersetzt.

4 Jahre später, im Jahre 1999, wurde nach der erfolgreichen Verfilmung *Sonnenallee* (ein echter Kassenschlager in deutschen Kinos) das Buch *Am kürzeren Ende der Sonnenallee* veröffentlicht.

> Buch *Am kürzeren Ende der Sonnenallee*

Wie schon *Helden wie wir* war auch sein drittes Werk von Erfolg gekrönt. Dies ist vor allem darauf

---

13 Brussig zitiert in: Koelbl, Herlinde: *Im Schreiben zu Haus. Wie Schriftsteller zu Werke gehen*, S. 98
14 Hage, Volker: *Jubelfeiern wird 's geben*. Interview mit Thomas Brussig. Spiegel 36/99, S. 255

zurückzuführen, dass 10 Jahre nach der Mauereröffnung die „selbstironische deutsch-deutsche Vergangenheitsbewältigung"[15] wieder auf reges Interesse bei Publikum und Leserschaft stieß.

Nicht alle Episoden, die Brussig im Drehbuch angedacht hatte, konnten vom Regisseur Leander Haußmann berücksichtigt werden, so dass sich der Autor entschloss, die schon längst herangereifte Idee, ein Buch, nicht aber **das** Buch zum Film, zu schreiben. An den Filmerfolg *Sonnenallee* konnte er allerdings damit nicht anknüpfen. Trotzdem erschien als Erweiterung zum Buch auch das Hörspiel *Am kürzeren Ende der Sonnenallee*, in dem Brussig, mit „lakonischer Gelassenheit die beschwerlichen Hürden des DDR-Alltags liest, so dass die pointenreiche Geschichte zu einem wahren Vergnügen wird."[16]

Neue literarische Vorhaben wurden in der Presse im Dezember 2000 vermeldet – das Autorenteam Brussig/Haußmann plane ein NVA-Projekt (NVA = Nationale Volksarmee) –; es bleibt abzuwarten, ob dies wieder eine DDR-nostalgische Burleske ähnlich der *Sonnenallee* wird.

---

15 Forchner, Hanka: *Über allem strahlt die Sonne.* Focus 45/99, S. 294
16 Freie Presse, 12. 01. 2001

2. Textanalyse und -interpretation

2.1 Entstehung und Quellen

Als im Herbst vor der Jahrtausendwende zum 21. Jahrhundert die Frankfurter Buchmesse eröffnet wurde, stellte sich ein reges Interesse an jungen deutschen Schriftstellern ein. Erstlingswerke von Thomas Brussig, Jenny Erpenbeck, Thomas Lehr oder Benjamin Lebert waren auf führenden

> Erstlingswerke: Unkompliziertheit und Neuartigkeit

Plätzen des deutschen Buchhandels zu finden. „Mit ersten Geschichten kippt man doch Eimer aus"[17], urteilte einst der Schweizer Gegenwartsdramatiker Dürrenmatt. Häufig werden solche Geschichten eines Autors als „Einschläge in die Literatur"[18] bezeichnet, sie begeistern vor allem wegen ihrer Unkompliziertheit und Neuartigkeit. So freuten sich Brussigs Leser und Verleger gleichermaßen, dass Thomas Brussig den bisher „originellsten literarischen Nachruf auf die DDR"[19] geschrieben hat. Der Roman *Helden wie wir* hat sich mit ca. 200.000 Exemplaren hervorragend verkauft – er ist lustvoll erzählt, respektlos und sehr freizügig. Dabei geht der Autor äußerst unbefangen mit der Vergangenheit seines Landes um.

Thomas Brussig bezeichnet sich selbst als verklemmten Menschen mit recht prüder Erziehung. Parallelen zu seiner Hauptfigur Klaus Uhltzscht erscheinen daher nicht zufällig. Als Schüler hatte er gleichermaßen gute Lernergebnisse und urteilt rückblickend: „Ich hatte die besten Zensuren, war aber überhaupt nicht schlagfertig."[20] Seinen Mangel an Selbstver-

---

17 Lahann, Birgit: Günter Grass: *Trommelwirbel für die Bauchgeburt*. Stern 41/99, S. 64
18 Ebd., S. 66
19 Hage, Volker: *Die Enkel kommen*. Spiegel 41/99, S. 245

trauen nahm er schließlich zum Anlass, sich literarisch zu verwirklichen. Die Motivation, auf Probleme im privaten sowie im gesellschaftlichen Bereich aufmerksam zu machen, beschreibt er wie folgt:

> *„Ich habe angefangen zu schreiben, weil ich nicht reden konnte. ... Ich habe diese ganzen Gefechte, die ich im Alltag verloren habe, auf dem Papier noch einmal gewonnen. Dann habe ich aber schnell mitgekriegt, dass so keine Literatur entsteht, sondern dass es nur dann gut wird, wenn man ehrlich über seine Niederlagen schreibt."*[21]

Für ihn war das Schreiben bereits seit seiner Teenagerzeit der Weg, sich von seinen Ängsten und Problemen zu befreien. Besonders deutlich wurde dies in seinem zweiten Buch *Helden wie wir*.
Die Wendezeit bewertete der junge Autor recht kritisch und empfand nicht nur Freude:

> *„Über die Einheit habe ich mich auch sehr geärgert. Ich halte die westdeutsche Demokratie für modernisierungsbedürftig und hätte mir gewünscht, dass die DDR aus eigener Kraft eine Erneuerung in der Demokratisierung vollzieht, die den Anforderungen des 21. Jahrhunderts gewachsen ist. Das ist nicht passiert. ..."*[22]

Die Enttäuschung und Wut über die nicht stattfindende Auseinandersetzung mit der DDR und ihren Problemen trug folglich ebenso zur Entstehung dieses Romans bei.
Auf die Frage eines Journalisten, ob er an den real existierenden Sozialismus glauben würde, antwortete Brussig:

---

20 Koelbl, Herlinde: *Im Schreiben zu Haus. Wie Schriftsteller zu Werke gehen*, S. 98
21 Ebd.
22 Ebd., S. 100

„Es hat mich interessiert, was in diesem Land vorging, ... aber es war nicht das Land, in dem ich die Herausforderung gesehen habe, der ich mich auch stellen wollte. Dieser Opportunismus und die Lethargie haben mich zutiefst betrübt. ... Einfach, weil ich diese Lähmung der Triebkräfte gesehen habe ... .“[23]

Jedoch fand er auch den Westen nicht überzeugend: „Ich konnte mir auch keine Zukunft im Westen vorstellen, weil das für mich die Fremde war.“[24]

Brussig beschäftigte sich nun fortan intensiv mit der DDR-Vergangenheit, da gerade in der unmittelbaren Nachwendezeit eine „komische Diskussion“, wie Brussig einst äußerte, in Gang gekommen war, die sich nur um die Frage drehte, ob er einst bei der Stasi[25] war oder nicht. In ihm reifte der Gedanke eines Nachwenderomans. Von da an hatte er einen politischen Anspruch, der ihn zum Schreiben drängte.

Gedanke eines Nachwenderomans

„Im Osten hat mich der Umgang mit der Vergangenheit geärgert, dass alle nur von ihren Heldentaten erzählt haben, anstatt von ihrem Mitmachen, Ich dachte mir, dass einer über seinen Opportunismus, über seine Dummheit, über seine Verblendung reden muss.“[26]

Jedoch hatte auch Thomas Brussig Vorbilder, die dem Buch das gedankliche Grundkonzept verliehen haben.
Zum einen beeindruckte Thomas Brussig das von Hans Joachim Maaz geschriebene DDR-Psychogramm *Der Gefühlsstau*, welches ihn inspirierte und ihm gleichzeitig das geistige

---

23 Ebd.
24 Ebd.
25 Stasi = Staatssicherheitsdienst der DDR (SSD) bzw. die politische Polizei, welche für das Ministerium für Staatssicherheit (MfS) arbeitete. Hauptsächlich diente sie der Spionage und Gegenspionage sowie dem Schutz der ‚sozialistischen Staats- und Gesellschaftsordnung‘.
26 Koelbl, Herlinde: *Im Schreiben zu Haus. Wie Schriftsteller zu Werke gehen*, S. 98

Vorbild für sein Schaffen lieferte. Zum anderen faszinierte ihn das Skandalbuch *Portnoys Beschwerden* von Philip Roth, worin ein Milieu so stark ausgeleuchtet wurde, das Thomas Brussig darin seinen literarischen Ansporn sah, eine Inventur der DDR zu betreiben. Nicht zuletzt spielte jedoch der Kinofilm *Forrest Gump* ebenfalls eine entscheidende Rolle, da die Handlungsgeschichte auf ein Einzelwesen, „einen Trottel", reduziert war, wie es auch später in Brussigs Roman der Fall ist.

2.2 Inhaltsangabe

Im Mittelpunkt des Romans steht der komplexbeladene Klaus Uhltzscht. Er klagt auf ca. 300 Seiten über seinen zu kleinen Penis. Dafür freut er sich riesig über dessen plötzliches Wachstum ins Superlative. Uhltzschts wahre Heldentat wird dem Leser bereits im 1. Band präsentiert: „Ich war 's. Ich habe die Berliner Mauer umgeschmissen. ... Die Geschichte des Mauerfalls ist die Geschichte meines Pinsels." (S. 7)

So ist Klaus zu einer Person des öffentlichen Lebens geworden und will als Held seine Biografie preisgeben. Genau hier beginnt der Roman.

Die versprochene Autobiografie an einen fiktiven Adressaten, Mr. Kitzelstein, beginnt mit der Wertung des Ich-Erzählers eines historisch bedeutsamen Datums: 20. 08. 1968[27] – der Geburtstag von Klaus Uhltzscht. „In Panik durchstieß ich die Fruchtblase ... . Die Luft stank und zitterte böse, und die Welt, auf die ich kam, war eine politische Welt." (S. 5)

Autobiografie an einen fiktiven Adressaten

Seine Selbstcharakteristik ist genauso vielseitig wie seine durchlaufenen biografischen Stationen: Schon genügend durch seine Namen (S. 42) gestraft, wird ihm das Leben durch seine Eltern unerträglich gestaltet: Zum einen seine hyperhygienische Mutter als totale Kontrollinstanz bezüglich Sauberkeit und Körperbeherrschung („Hygienegöttin", S. 25) und zum anderen sein Stasi-Vater, der ihn verachtet und ihn für einen absoluten Versager hält. Folglich ist es kein Wunder, dass Klaus eine völlig verklemmte Kindheit er-

Klaus erlebt eine völlig verklemmte Kindheit

---

27 Einmarsch der Warschauer-Pakt-Truppen in die damalige Tschechoslowakei. Damit wurde das Experiment der neuen Staatsführung des Landes, einen eigenen Weg zum Sozialismus unter demokratischen Voraussetzungen zu finden („Prager Frühling"), beendet.

lebt. So glaubt er zunehmend daran, dass die (von Klaus angenommenen) Urteile seiner Eltern über ihn („Sachenverlierer", „Flachschwimmer", „Toilettenverstopfer", S. 92) wirklich zutreffen: „Hatte ich schon gesagt, dass ich mich ... immer klein, dumm, ahnungslos, fehlentwickelt, minderbemittelt, unwürdig, begriffsstutzig, ungeschickt und schwach fühlte?" (S. 56)

Eine erste Heldentat hat Klaus allerdings schon als 9-Jähriger aufzuweisen: Der Junge Pionier kommt als Standbetreuer der Messe der Meister von Morgen auf das Titelbild der Neuen Berliner Illustrierten. Von diesem Augenblick an weiß er, dass das Leben noch Großes mit ihm vorhat: Klaus – der zukünftige Nobelpreisträger und damit ein wirklicher Held. Doch bis zu diesem gigantischen Ereignis muss der schlecht informierteste Mensch Klaus Uhltzscht, der erst nach Jahren im Ferienlager erfährt, dass sein Vater bei der Stasi beschäftigt ist und somit erst da begreift, was eigentlich die „Firma" bedeutet, eine qualvolle Pubertät durchleben. Seine

qualvolle Pubertät, da er den „Kleinsten" hat

Karriere könnte so schön weitergehen, wenn er nicht den Kleinsten hätte, wie Uhltzscht vermutet. Die pubertären Störungen lassen ihn immer häufiger über Reinkarnation nachdenken, so dass er sich schlussendlich als der wiedergeborene „Kleine Trompeter" aus dem gleichnamigen Lied fühlt, denn: „Zum Kleinen Trompeter gehört eine kleine Trompete – und ich hatte die kleinste Trompete." (S. 101) Seinen wichtigen Beitrag für die gemeinsame große Sache (das ist sein eigentliches Ziel) sieht er darin, sein „Leben den Großen (zu) opfern." (S. 101) „Ich sah meinen Schwanz, ich sah das Lenin-Denkmal und ahnte, dass ich der Kleine Trompeter bin. Genaueres wusste ich nicht." (S. 101)

Bevor er in historischer Mission unterwegs sein kann, erlebt er eine freudlose Ausbildung – natürlich bei der Stasi. Immer wieder muss er seinen Dauererektionen, die seiner Mutter selbstverständlich nicht verborgen bleiben, mit Unfallfantasien beikommen. Was ihn aufrecht erhält, ist die Gewissheit, irgendwann als geheimer Agent ins kapitalistische Ausland geschickt zu werden und als Vollender der sozialistischen Revolution in die Geschichtsbücher einzugehen – als Kämpfer an der unsichtbaren Front. Uhltzscht macht dabei dem Leser sein simples politisches Weltbild plausibel. Wer im Osten aufgewachsen ist, wird sich an die Weltkarten des Schulatlas erinnern: Während die „sozialistische Staatengemeinschaft" in lebensfrohem Rot und die „jungen Nationalstaaten" immerhin in taufrischem Grün dargestellt wurden, blieb für die kapitalistische Welt lediglich ein stumpfes, totes Dunkelblau übrig. Doch von Jahr zu Jahr schmolzen die blauen Flächen, und eines Tages würden sie ganz verschwunden sein. Dies ist die feste Überzeugung des späteren Helden der friedlichen Revolution Klaus Uhltzscht.

In seiner Ausbildungszeit bei der Stasi (schließlich geht er zur Staatssicherheit, **Ausbildungszeit bei der Stasi** weil jene ihm ein neues Gefühl von Sicherheit vermittelt) fühlt er sich wie James Bond. Von nun an ist er wer, er stellt jemanden dar, der auf die Spezialaufträge nicht mehr lange zu warten haben wird. Doch er wird wieder enttäuscht: Klaus fühlt sich bei seinen kämpferischen Aktionen unbefriedigt und allein gelassen, woraus folgt, dass er besonders in solchen Situationen mit seinen sexuellen Verklemmungen zu kämpfen hat.

Die früheren Erregungen erfassten Uhltzscht bei Dagmar Frederic, der Moderatorin von „Ein Kessel Buntes" („Um mich Ihren amerikanischen Lesern verständlich zu machen: ... ungefähr so apart wie Nancy Reagan.", S. 67) und der Goldkür von Katarina Witt, da sie häufig Wertungen von 6,0 erhält. Auch bei seiner ersten Liebe, die er zunächst als Ereignis der

Weltgeschichte verkünden will, macht er sehr unangenehme Erfahrungen. Die Folge seiner Liebschaft: eine Penicillin-Behandlung aufgrund einer Tripper-Infektion.

Erst die Stunden vor dem Mauerfall lassen Klaus Uhltzscht und mit ihm „sein bestes Stück" zu olympischer Größe heranwachsen. So öffneten die zweifelnden Grenzsoldaten, welche durch die hysterischen Schreie der Massen zusätzlich verunsichert sind, beim Anblick seines riesigen Gliedes sofort die Tore.

Er öffnete die Mauer mit „seinem besten Stück"

Und damit steht fest: Er war es! Er öffnete die Mauer!

2.3   Aufbau

Im Mittelpunkt des Romans steht die heldenhafte Tat des Protagonisten Klaus Uhltzscht: der Mauerfall („Ich war 's. Ich habe die Berliner Mauer umgeschmissen.", S. 7). Die Umstände, die dazu führten, werden dem Leser bereits auf der ersten Seite des Buches angekündigt. Jedoch muss er sich bis zum Ende gedulden, um wirklich Näheres zu erfahren. Vorher erfolgt eine ausführlich, detaillierte Beschreibung der Lebensstationen des Klaus Uhltzscht, welche „ein hohnlächterndes Feuerwerk respektlos-fantastischer Einfälle"[28] darstellen.

Brussig unterteilt seinen Roman in sieben Bände, deren Überschriften eine `in sieben Bände unterteilt` zielgerichtete Erwartungshaltung für den Leser darstellen und auf die folgenden erzählten Situationen schlagkräftig, originell und hintergründig verweisen:

1. Band: Kitzelstein
2. Band: Der letzte Flachschwimmer
3. Band: Blutbild am Rande des Nierenversagens
4. Band: Sex & Drugs & Rock 'n' Roll
5. Band: wbl. Pers. Str. hns. trat 8:34
6. Band: Trompeter, Trompeter
7. Band: Der geheilte Pimmel

Jeder Band puzzelt dabei wesentliche Stationen, Gedanken und Einstellungen `Kontinuierlich und chronologisch werden Informationen aufgereiht` der Hauptfigur zusammen. Kontinuierlich und chronologisch werden somit wesentliche Informationen über Klaus Uhltzscht und sein Lebensumfeld aufgereiht.

---

28   Simanowski, Roberto: *Die DDR als Dauerwitz.* ndl 2/96, S. 157

1. und 7. Band Rahmenhandlung durch fiktives Interview

Nur der 1. und 7. Band wirken dabei ähnlich einer Rahmenhandlung, denn nur hier hat der Leser das Gefühl, einer Unterredung zwischen Klaus Uhltzscht und Mr. Kitzelstein beizuwohnen. Dies wird vor allem darin deutlich, dass der Held den fiktiven Korrespondenten der New York Times, eben Mr. Kitzelstein, in diesen beiden Kapiteln direkt anspricht („Mr. Kitzelstein, wie Sie sehen ...", S. 5/„Also was ist – wechseln Sie gleich die Kassette?", S. 19/„War es das, was Sie wissen wollten?", S. 323) Es findet jedoch kein wirklicher Dialog zwischen beiden statt (schließlich sollte Kitzelstein und damit der New York Times ein Interview gegeben werden über die so heldenhafte Geschichte um den Fall der Berliner Mauer). Der Roman gibt in einem linear-progressiven Handlungsverlauf, in dem sich der Held sozusagen auf dem Zeitstrahl fast ohne Sprünge im Plot vorwärts bewegt, eine monologische Darstellung der Lebensgeschichte des Protagonisten wieder.

2.4 Personenkonstellation und Charakteristiken

Familie Uhltzscht – Klaus, seine Mutter Lucie und sein Vater Eberhard stellen im Roman *Helden wie wir* die drei Hauptfiguren dar. Mit ihren Wesenszügen und ihrem Verhalten in den unterschiedlichsten Situationen bestimmen sie den Handlungsverlauf. Neben der Familie Uhltzscht agieren im Verlauf des Romans auch zahlreiche Nebenfiguren, die in den verschiedensten Beziehungen zum Protagonisten stehen. Auch diese werden durch ihre Sprech- und Verhaltensweisen aus der Betrachtungsperspektive der Hauptfigur heraus direkt oder indirekt charakterisiert und runden somit das Bild des typischen DDR-Bürgers in seinem Alltag ab. Da diese Nebenfiguren lediglich die Handlung im Roman vervollständigen und ihr den notwendigen Rahmen geben, erscheint es nicht zwingend notwendig, sie vorrangig zu charakterisieren. Deshalb soll im Folgenden nur auf die drei oben genannten Hauptfiguren eingegangen werden.

Klaus Uhltzscht:

Die Hauptfigur Klaus Uhltzscht stellt sich vor allem durch ihre äußerst anschauliche Selbstdarstellung vor. Durch Beschreibungen seiner charakteristischen Wesenszüge, nachdenkliche Reflexionen über seine Kindheit und Jugend und ihn prägende Erlebnisse in Elternhaus und Schule, welche er sehr ehrlich und offen wiedergibt, spürt der Leser bereits zu Beginn des Romans das Ungewöhnliche, Merkwürdige, fast „Unnormale" seiner Person.

Während ihn die Mutter in ihrem Hygienewahn total kontrolliert und stark reglementiert, wird er vom Vater jedoch in keiner Weise respektiert, sondern als ein „Nichts" behandelt.

Vielleicht träumt er deshalb so häufig von Achtung und Anerkennung und hofft auf wirklichen Erfolg in seinem Leben.
Der Ich-Erzähler wird dabei völlig ins Groteske überzogen: er
wird „Sammelbecken aller erdenklichen Verklemmungen."[29]
Besonders deutlich erkennt man das
in seiner gestörten Einstellung zu al-
len Fragen der Sexualität. „Aufgeklärt"

> gestörte Einstellung zu allen Fragen der Sexualität

mit märchenhaft naiven Geschichten der „asexuellen" Mutter,
die nicht einmal eine vage Vorstellung der Thematik erzeugen
konnte, gibt es für ihn nichts Verwerflicheres, als über Sex
auch nur nachzudenken. Selbst die Ziffer 6 auszusprechen,
hält er für obszön. Als völlig Ahnungsloser wird er deshalb
bereits im Kinderferienlager von Gleichaltrigen verspottet. In
seiner so qualvollen Pubertät beschäftigt ihn ernsthaft und
tiefgründig seine Überzeugung, dass er den wohl kleinsten
Penis überhaupt habe. Der Besitz einer solch „kleinen Trompete" ist für ihn ein erneuter Beweis seiner Nichtswürdigkeit
und Außenseiterrolle.

Klaus ist ein Prototyp eines Heranwachsenden im typischen
DDR-Milieu und gerät somit zum Abbild eines widerwärtigen
Spießers. Dadurch besitzt jedoch die Figur gleichermaßen auch
etwas Allgemeingültiges unserer Tage. Diese schon von Hein-
rich Mann angeprangerte Untertanenmentalität sowie die Ver-
körperung des bekannten Radfahrertypus findet sich ebenso
in Brussigs Figurenzeichnung wieder. Wortspiele wie „Ich, ein
scheißkluger Klugscheißer" (S. 16) zeigen, dass sein Protago-
nist auch keinerlei Selbstachtung besitzt. Der Leser erlebt ihn
als begriffsstutzig und ungeschickt in seinen Äußerungen und
Handlungen. Er selbst fühlt sich stets klein, dumm und ahnungslos (schließlich ist er es, der sowohl in der Familie als

---

29 Ebd., S. 160

auch in seinem beruflichen Leben immer zuletzt die wirklichen Fakten und Tatsachen gesagt bekommt oder begreift). Somit ist es kaum mehr verwunderlich, dass er sich selbst als fehlentwickelt, minderbemittelt und unwürdig einschätzt. Seine Kurzcharakteristik ist in fast jedem Band des Romans zu finden. Immer wieder weist er darauf hin, er sei eingebildet, misstrauisch, egoistisch und selbstgefällig (S. 61). Damit wird deutlich, dass es sich bei dieser Person um einen äußerst komplexbeladenen Menschen ohne jegliches Selbstwertgefühl handelt.

> komplexbeladener Menschen ohne jegliches Selbstwertgefühl

Dominierende, ihn beherrschende Gefühle sind seine Ängste, sein extremes Schamgefühl, aber auch sein Wunsch nach „Größe", um doch noch einmal zu den Siegern zu gehören. Der Traum von zukünftigen wahren Heldentaten, die ihm Würdigung verschaffen und demnach „Größe" verleihen könnten, zeigt erstmals die Episode, in der er auf dem Titelblatt einer Zeitschrift zu sehen ist. „Klaus – das Titelblatt" ist erster Auslöser seines fast größenwahnsinnigen Karrieredenkens, das ihm – dessen ist er sich ganz sicher – mindestens den Nobelpreis einbringen wird.

Da im Staatsbürgerkundeunterricht an DDR-Schulen als ein Hauptthema die historische Mission der Arbeiterklasse vermittelt wurde, ist es nicht verwunderlich, dass sich Klaus als zukünftiger Held zu dieser Mission berufen fühlt. Wenn er sie schon nicht allein erfüllen kann, so will er doch wenigstens seinen heldenhaften Beitrag für die sozialistische Geschichtsschreibung mit all seinen ihm zur Verfügung stehenden Kräften leisten. Obwohl er keinesfalls die Zusammenhänge und Ziele der Stasi versteht, beginnt er dort voller Motivation und Erwartung eine Ausbildung, in dem Bewusstsein, zu den Siegern der Geschichte zu gehören. Von seinen Stasi-Ausbildern fühlt er sich aber bald nicht genügend gefordert. Trotz allem sieht er in jedem – auch noch so sinnlosen – Befehl seine

Aufgabe, den Sozialismus zu stärken

verantwortungsvolle Aufgabe, den Sozialismus zu stärken und vor dem „parasitären, faulenden Imperialismus" zu schützen. Diese Episoden sind nicht nur köstlich zu lesen, sondern die Stasi wird in ihrer überzogenen Gestaltung vollkommen der Lächerlichkeit preisgegeben.

Mutter: Lucie Uhltzscht

äußerst prinzipientreu

Geprägt wird Klaus maßgeblich von seiner äußerst prinzipientreuen Mutter. Diese Figur wird aus der Sicht ihres Sohnes gleichermaßen respektvoll und liebenswürdig behandelt, fast verehrt. Uhltzscht weiß es zu schätzen, dass sie für ihn ihre Facharztausbildung abbrach, um sich ganz der Erziehung und Formung seines Charakters zu widmen. Dankbar schätzt er auch ihre Perfektion. Immer wieder stellt er sie als aufopfernd und ein Muster an Einfühlungsvermögen und Zuverlässigkeit dar. Er empfindet ihre Disziplinierung bezüglich Ordnung und Sauberkeit, da sie als Hygieneinspektorin schon von Berufs wegen her Unbehagen gegen Menschen, die sich nicht immer und überall gründlichst waschen hegt, mitunter als Belastung. Auch ihre absolute Kontrolle all seiner Handlungen, so dass er die Spuren erster Samenergüsse peinlichst versucht vor ihr zu verstecken, erdrückt ihn fast. Kritisieren würde er seine Mutter jedoch nie. Er weiß nur zu genau, dass sie doch stets das Beste für ihn will. Freiraum, um sich entsprechend seiner eigenen Bedürfnisse und Wünsche zu entfalten, erhält er allerdings durch seine Mutter nicht.

Vater: Eberhard Uhltzscht

Der Gegenpol zur tief besorgten Mutter ist der dogmatische, scheinbar gefühllose Vater. Klaus schildert ihn als autoritären Pedanten,

autoritärer Pedant

der so gut wie nie mit ihm spricht, allenfalls das Nötigste in Befehlston: „Steck das Hemd rein!"; „Sei still!" (S. 9) Als bedrückend und kränkend empfindet er, dass der Vater nicht an seinen Sohn glaubt und ihm nichts zutraut, sogar seinen Namen nahezu völlig ignoriert. Ihm bleibt nichts weiter übrig, als sich mit den abwertenden Urteilen über seine Person („Sachenverlierer", „Flachschwimmer", „Toilettenverstopfer", S. 92) abzufinden. Nicht unterrichtet von der tatsächlichen beruflichen Tätigkeit des Vaters – bekannt ist dem Sohn nur seine Arbeit im Ministerium für Außenhandel –, erfährt er erst mit vierzehn eher zufällig die Zugehörigkeit seines „Erzeugers" zur „FIRMA".

Beide Eltern-Figuren werden nur statisch gezeigt, als Typen verkörpern sie Kleinbürger ihrer Zeit – ihres Systems. Mit sparsamen wörtlichen Reden, der Wiedergabe von stereotypen Kurzsätzen werden sie für den Leser aus der Perspektive des Ich-Erzählers lebendig gemacht. Dadurch wirken sie überzogen, karikiert und lächerlich.

2.5 Sachliche und sprachliche Erläuterungen

Ausführliche sachliche und sprachliche Anmerkungen sind besonders bei diesem Werk von großer Bedeutung, da der Leser stets mit dem System der DDR konfrontiert wird und mitunter Verständigungsschwierigkeiten auftreten können. Um solchen Problemen vorzubeugen, ist eine Erläuterung jener häufig in der DDR verwendeter Worte und Ausdrücke unumgänglich.

1. Band:

Panzerregiment (S. 5):	Verband von gepanzerten Schussfahrzeugen
Tschechoslowakei (S. 5):	war ein sozialistischer Nachbarstaat der DDR und bestand damals aus der heutigen Slowakei und dem heutigen Tschechien.
Brunn (S. 5):	Das heutige Bruno, liegt in der heutigen Slowakei und der damaligen Tschechoslowakei.
Schabowski (S. 6):	ehemaliger SED-Chef von Berlin
Fluchtwelle (S. 6):	Die DDR war von Mauern und Grenzen umgeben; um dieser Diktatur und Mangelwirtschaft zu entkommen, kam es zu Massenbewegungen aus dem Land heraus – so genannte Fluchtwellen.
Sprachrohr des liberalen Weltgewissens (S. 8):	ironisch für die amerikanische Zeitung „New York Times"

NBI (S. 8):	ehemalige Neue Berliner Illustrierte, besaß Pressemonopol
AG Junger Naturforscher (S. 9):	Arbeitsgemeinschaften zur Förderung der Kenntnisse von Verbundenheit zu Natur und Heimat der sozialistischen Jugend
Messe der Meister von Morgen (MMM) (S. 10):	Die sozialistische Jugend wurde animiert, innovative Leistungen zum Wohle der DDR zu erbringen, um diese auf der MMM zu präsentieren.
Auszeichnungsappell (S. 13):	vorwiegend bei Massenorganisationen, bei denen Auszeichnungen für herausragende Leistungen vergeben wurden, z. B.: sozialistisches Lernen, Verteidigung des Vaterlandes, Sport, sozialistische Arbeit
Pionierzeitung (S. 13):	Presseorgan der Jung- und Thälmannpioniere. Fast alle Schüler waren in der DDR innerhalb der Pionierorganisation „Ernst Thälmann" in der 1.–3. Klasse Jungpioniere; zu offiziellen Anlässen trugen diese blaue Halstücher. Von der 4.–7. Klasse wurden die ehemaligen Jungpioniere automatisch bei weiterer Mitgliedschaft in der Pionierorganisation Thälmannpioniere; Kenn-

	zeichen war das Tragen des roten Halstuches
FDJ:	Mitglied der Freien Deutschen Jugend konnte ab der 8. Klasse jeder Schüler nach Erstellen eines Aufnahmeantrages werden.
Neues Deutschland (S. 15):	zentrales Presseorgan der SED, welches als propagandistische Tageszeitung genutzt wurde
Faksimiles der BILD (S. 15):	nachgebildete Vorlage der Titelseite der Bild-Zeitung
Ronald Reagan (S. 18):	US-amerikanischer Politiker (Republikaner); 1980–1989 40. Präsident der Vereinigten Staaten, USA = Klassenfeind

2. Band:

Ministerium für Staatssicherheit (S. 20):	Was die Gestapo bei Hitler im 3. Reich war, war das Ministerium für Staatssicherheit in der DDR. Die Stasi war auch bekannt als die politische Polizei. Sie arbeitete für das Ministerium für Staatssicherheit (MfS) und diente vordergründig der Spionage, der Gegenspionage sowie dem Schutz der „sozialistischen Staats- und Gesellschaftsordnung".

Wartburg (S. 23):	hieß der neben dem Trabant etwas „luxuriösere" in der DDR produzierte (Eisenach) 2-Takt-PKW, Wartezeit: 15 Jahre, Preis: ca. 30.000 Ostmark, bei einem durchschnittlichen Einkommen von 1.000 Ostmark
Stadtillus (S. 28):	Stadtillustrierte Zeitschriften
Wofasept (S. 31):	Desinfektionsmittel in der DDR
Bolustod (S. 33):	Bolus = Tonerde-Silikat / med. Begriff für große Pille
Centrum-Warenhaus (S. 50):	Kaufhauskette der DDR
Katarina Witt (S. 59):	Weltmeisterin und Olympiasiegerin im Eiskunstlaufen, betitelt als das „schönste Gesicht des Sozialismus"

3. Band:

Dagmar Frederic (S. 67):	in der DDR bekannte und beliebte Schlagersängerin und Entertainerin
O. F. Weitling (S. 67):	DDR-bekannter Entertainer, Moderator und Kabarettist; für seine versteckte Ironie bezüglich politischer Zustände beim Publikum sehr beliebt, jedoch bei den Kulturfunktionären gefürchtet
Ein Kessel Buntes (S. 67):	Beliebte Samstagabend-Veranstaltung des DDR-Fernsehens, welche von führenden Künstlern des sozialistischen und kapitalisti-

schen Auslandes gestaltet wurde und hohe Einschaltquoten erzielte.

Maxim Gorki (S. 70): russisch-sowjetischer Schriftsteller, welcher mit dem Roman *Die Mutter* zum Begründer des sozialistischen Realismus in Russland wurde

Kyklopensage (S. 71): Kyklop = sagenhafter, schrecklicher, einäugiger Riese der Odysseus-Sage

Nürnberger Prozesse (S. 75): Prozesse, in denen die Hauptkriegsverbrecher des 2. Weltkrieges im November 1945 in Nürnberg angeklagt wurden

Ernst Thälmann (S. 96): 1886–1944, kommunistischer Politiker (KPD); auch Teddy genannt; 1925 bis 1944 Vorsitzender der KPD; wurde im Konzentrationslager Buchenwald ermordet

Faschisten (S. 96): Anhänger des Faschismus; 1919 von Benito Mussolini gegründete rechtsradikale Bewegung, welche sich 1921 als Partei formierte und von 1922–1945 über Italien herrschte. Der Faschismus entstand zwischen den Weltkriegen und ist für alle politischen Bewegungen und Herrschaftssysteme mit extrem nationalistischer, antidemokratischer und antikommunistischer Ideologie bezeich-

	nend[30]; Führer der Nationalsozialisten in Deutschland war Adolf Hitler.
Moabit (S. 97):	bekanntes Gefängnis im gleichnamigen Ortsteil des Westberliner Bezirkes Tiergarten
Rot Front (S. 97):	Kommunisten-Gruß (analog Faschismus: Heil Hitler)
Pionierleiterin (S. 96):	Führungsperson der Pioniere, welche die Lehren Thälmanns und damit die kommunistische Doktrin vermittelte
Pionierausweis (S. 96):	Legitimation für die Mitglieder der Pionierorganisation
Totalitarismus (S. 98):	von totalitär: alles erfassend und sich unterwerfend; keine divergente Meinung oder Lebensart und Kultur duldend
Kalter Krieg (S. 102):	Bezeichnung für die Auseinandersetzung zwischen dem Ostblock und den Westmächten, welche nach dem 2. Weltkrieg aufkam; es kam zu ideologischen und propagandistischen Angriffen, zu wirtschaftlichen Kampfmaßnahmen und zum Wettrüsten, jedoch wurden militärische Auseinandersetzungen vermieden.
Lenin (S. 102):	1874–1924, russischer Revolutionär und Politiker; er etablierte die bolschewistische Macht in Russland.

---

30 Nach Microsoft® Encarta® Enzyklopädie 2001. © 1993–2000 Microsoft Corporation

Karl Marx (S. 103):	1818–1883, deutscher Philosoph, Nationalökonom und Begründer des Marxismus. 1847 trat er mit Friedrich Engels dem Bund der Kommunisten bei. Sie verfassten als Programmschrift das *Kommunistische Manifest* 1848.
Friedrich Engels (S. 103):	1820–1895, deutscher Sozialist, welcher maßgebend an der Ausbildung der marxistischen Theorie mitwirkte und zu ihrer Popularisierung beitrug.
Staatsbürgerkunde (S. 106):	Unterrichtsfach in der DDR, welches sozialistische und kommunistische Lehren vermittelte und Schüler zu sozialistisch denkenden Staatsbürgern erziehen sollte.

4. Band:

Nationale Volksarmee (S. 109):	Militärische Vereinigung der DDR (Luft- und Landstreitkräfte sowie der Marine), diente der militärischen Landesverteidigung der DDR zum Schutz des Sozialismus
Tripper (Gonorrhöe) (S. 115):	Geschlechtskrankheit
Sozialismus (S. 117):	kommunistische Gesellschaftsformation, die auf der Diktatur des Proletariats, gesellschaftlichem Eigentum an Produktionsmitteln

	und der herrschenden Ideologie des Marxismus/Leninismus beruht
Wilhelm Pieck (S. 123):	1. Staatspräsident der DDR
Sex-Pistols (S: 131):	britische Punk-Rockgruppe, erfolgreich Mitte der 70er Jahre
Zeugen Jehovas (S. 131):	1878/79 in Pittsburgh gegründete apokalyptische Glaubensgemeinschaft; lehnen die kirchlichen Lehren ab und verweigern Militärdienst und Wahlbeteiligung
Minister Mielke (S. 138):	ehemaliger Chef der Staatssicherheit der DDR, Mitglied des Zentralkomitees der SED

5. Band:

Klappfix (S. 147):	Anhänger, welcher als aufklappbarer Campingwagen fungierte; auch als Ausdruck für den aufklappbaren Ausweis der Stasi-Mitarbeiter verwendet
NATO (S. 154):	North Atlantic Treaty Organization; 1949 gegründetes westliches Verteidigungsbündnis, welchem folgende Staaten angehören: BRD, Dänemark, Frankreich, Griechenland, GB, Island, Italien, Kanada, Luxemburg, Niederlande, Norwegen, Portugal, Spanien, USA, Türkei. Die Partner des Verteidigungsbündnisses sind zur gegenseitigen Unterstüt-

	zung verpflichtet, müssen jedoch nicht automatisch militärische Beihilfe leisten.
Glasnost (S. 155):	seit 1985 von dem damaligen sowjetischen Parteichef Gorbatschow verbreitetes Schlagwort für eine Politik größerer Toleranz
Blaue Welt (S. 168):	Zur Zeit der DDR wurden alle kapitalistischen Länder im Weltatlas blau untermalt.
Armin Mueller-Stahl (S. 170):	regimekritischer Schauspieler der ehemaligen DDR; nach Verlassen der DDR etablierte er sich aufgrund seiner überzeugenden Schauspielkunst auch im „Westen" sowie nach der Wende im gesamten Deutschland
Checkpoint Charlie (S. 170):	auch Todesstreifen genannt; Grenzkontrollstelle an der Friedrichstraße
Brandenburger Tor (S. 171):	Berliner Stadttor am westlichen Abschluss der Straße Unter den Linden, welches zur Zeit der Zweiteilung nicht passierbar war.
Drillichhosen (S. 182):	Hosen aus sehr dichtem Leinen- oder Baumwollgewebe in Köperbindung, hier anderer Ausdruck für Jeans
Rote Welt (S. 187):	Zur Zeit der DDR wurden alle sozialistischen Länder im Weltatlas rot untermalt.

Marxismus (S. 197):	Bezeichnung für eine Bewegung, eine Weltanschauung bzw. eine Lehre, die von Marx, Engels und deren Schülern aufgestellt und verbreitet wurde.
Subbotnik (S. 198):	Sonderschicht (sowjet. Ursprung), zum Beispiel: zusätzliches, unentgeltliches Arbeiten für einen angeblichen guten Zweck und zur Stärkung des Sozialismus
Deutsche Volkspolizei (S. 218):	VOPO, VP in der DDR seit 1949 Sammelbezeichnung für die Ordnungspolizei mit Schutz-, Kriminal-, Verw.- und Verkehrspolizei[31]

6. Band:

Albert Einstein (S. 248):	1879–1955, bedeutendster Physiker und Begründer der Relativitätstheorie
Siegmund Freud (S. 248):	1856–1939, österreichischer Neurologe und Begründer der Psychoanalyse
Guillaume-Affäre (S. 250):	Spionageaffäre zwischen Ost und West zur Zeit des Kalten Krieges
Leninismus (S. 251):	angepasster Marxismus an Russland im 20. Jahrhundert. Hierbei sollte die bürgerliche Revolution möglichst schnell in eine proleta-

---

31 Nach: *Das große Illustrierte Lexikon*, Orbis Verlag, Stichwort Volkspolizei

	rische Revolution übergeleitet werden, was einzig und allein durch die Bauernschaft und das Proletariat unter Anleitung von Berufsrevolutionären möglich gewesen wäre.
MITROPA (S. 258):	Abkürzung für Mitteleuropäische Schlafwagen- und Speisewagen AG, welche 1917 gegründet wurde.
Haager Landkriegsordnung (S. 260):	kurz: HLKO, enthält die wichtigsten Bestimmungen des Kriegsrechts, welche sich jedoch nach den zwei Weltkriegen als unzulänglich erwiesen und zum Teil 1949 durch die Genfer Vereinbarungen abgeändert und ergänzt wurden.
Juri Gagarin (S. 270):	1934–1968, sowjetischer Astronaut, welcher 1961 mit dem Raumschiff Wostok I als erster Mensch in den Weltraum flog.
Zone (S. 276):	Andere Bezeichnung für die DDR, welche aus der sowjetischen Besatzungszone resultierte, da bekanntlich Deutschland in vier Besatzungszonen unterteilt wurde und Ost-Deutschland mit Ost-Berlin in der SBZ (Sowjetische Besatzungszone) lag.

Wende (S. 276):

Durch politischen Druck erfolgte die Grenzöffnung, wodurch die sozialistische DDR gekippt und die Weiche zur Wiedervereinigung gestellt wurde.

7. Band:

Raymond Chandler (S. 313):

1888–1959, US-amerikanischer Schriftsteller, welcher realistische und psychologische Kriminalromane schrieb.

9. November 1989 (S. 316):

Die Grenze zur Bundesrepublik und die innerstädtische Grenze in Berlin wurden geöffnet.

2.6   Stil und Sprache

Brussig parodiert, karikiert, übertreibt – aber er bejammert nicht und hebt keinen Zeigefinger. Im Gegenteil – er benutzt die therapeutische Funktion des Lachens. Den ernsthaften Blick überlässt er anderen.[32] Der Autor erzielt mit seinen bagatellisierten

bagatellisierte Übertreibungen

Übertreibungen eindeutige Wirkungen. Bei ihm liegen sie im Obszönen, wobei sich einiges davon deutlich „unter der Gürtellinie" befindet. Davon zeugen zum Beispiel sehr vulgäre Ausdrücke wie „Titten, Mösen" (S. 60) oder „Wichsen" (S. 72), aber auch Formulierungen wie „fettarschige, behäbige Zuhörer" (S. 17) u. v. a. m. Auffällig wird dies bereits zu Beginn des Buches, da ein hervorstechendes Merkmal der Hauptfigur darin liegt, fast ununterbrochen von seinem „Schwanz" zu sprechen. So kündigt der Ich-Erzähler den Charakter seiner den Leser erwartenden Lebensgeschichte mit folgenden Worten an: „... dass meine Schilderungen ziemlich schwanzlastig geraten." (S. 8) Jedoch gilt dies nicht grundsätzlich als verwerflich, da der Romanheld jene Tatsache mit einer politischen Haltung verbindet und es somit vor dem Hintergrund verschiedener „Für unser Land"-Konzepte zum geschichtsphilosophischen Bekenntnis wird. Eine solche Schlussfolgerung hat zweifellos einen, wenn auch nur geringen, Wahrheitsgehalt. Allerdings lernt man beim Lesen des Buches die typisch Brussig'sche Art zu denken. In *Helden wie wir* findet man vorrangig Gedankenketten, deren „unsinnige Wahrheiten" daraus resultieren, dass sie die Logik überziehen. Weiterhin sind ihm abenteuerliche Assoziationen, die Obszönität mit Ideologie verkoppeln,

Obszönität mit Ideologie verkoppelt

sehr wichtig. So wird zum Beispiel der

---

32 Nach ndl 2/96

Tripper zu einem Mittel der Konterrevolution gemacht, da durch die Behandlung dieser Geschlechtskrankheit Arbeitskräfte gebunden seien, die „in der Volkswirtschaft so dringend benötigt werden." (S. 140) Infolgedessen wirken Brussigs Pointen oft einfach nur „köstlich". Der Autor hat Gespür für Absurdes, kann aber sowohl Reales treffsicher beschreiben als auch Charaktere exakt und lückenlos nahe bringen. Das beweist beispielsweise die Vorstellung von Klaus' Mutter, die nicht nur allein mit Worten erfolgt, sondern indirekt auch an der Satzstellung ablesbar ist. „Nun gut, sie hatte die Gabe – manchmal; nicht oft, nur hin und wieder, aber immerhin –, sie hatte die Gabe, die Dinge manchmal auf den Punkt zu bringen, ..." (S. 29). Genau wie die Figur, die als umständlich charakterisiert werden soll, ist durch die Dominanz von Ellipsen auch diese Konstruktion langatmig, kompliziert und mit wenig Aussagegehalt gekennzeichnet.

Dolchstöße – messerscharf, treffend –, Sätze mit jener Wirkung verwendet Thomas Brussig bevorzugt. Man kann jene Deutlichkeit bei der Beschreibung des Elternpaares gar nicht übersehen. Seine prägnante Deskription, wie die Eltern Räume betreten,

> prägnante Deskription

wirkt nachhaltig: Auf der einen Seite die Mutter, die wenig einfühlsam ist, sondern durch sanften Nachdruck zu terrorisieren weiß und ebenso sanft in Klaus' Zimmer tritt, „als trete sie vor den Gabentisch" (S. 28), und auf der anderen Seite der Vater, der jede Tür so öffnet, „als wolle er Geiseln befreien." (S. 29)

Viele Sätze wirken frisch und lebendig, auch wenn sie teilweise klischeehaft sind. So lässt der kleine Klaus die anderen eben nicht mit seiner Frisbeescheibe spielen, sondern rennt lieber bis zur Erschöpfung hin und her. Infolge seiner Arroganz erntet er jedoch Lob der Eltern, währenddessen er sich im Geheimen einen Vater wie H. Bogart wünscht, der gesagt hätte: „Hör mal Junge, du musst im Leben immer einen *Kumpel* haben, der deine Frisbeescheibe zurückschmeißt." (S. 62)

Neben sehr unterhaltsamen, wirklich brillanten Sätzen, in denen der Leser auch oftmals intelligent „verschaukelt" wird, sind jedoch oftmals Witze misslungen, abwegig, geradezu banal. Demnach verpuffen diese mitunter zu billigen Kalauern und wirken einfallslos, zum Beispiel „Die Angst beim Klimmziehen: dass man am Reck hängt, wenn sich das Gehänge reckt." (S. 70)

Oft treibt Brussig das Zotige bis zum Höhepunkt und manchmal noch ein Stückchen weiter. Doch hinter all dem vordergründigen „Blödsinn" entfaltet sich ein stimmiges DDR-Bild.[33]

Brussigs Roman lebt von Übertreibungen, Absurditäten und Wortspielereien.

---

33 Nach Hamburger Abendblatt, http://www.ruhr-uni-bochum.de/malakow/theater/helden.htm

2.7 Interpretationsansätze

Der Erfolg und die wichtigste Wirkung des Romans besteht darin, dass es dem Autor auf erfrischende Art gelungen ist, eine originelle Aufarbeitung der Wendezeit und der ganz alltäglichen Geschichte der DDR zu liefern. Dabei wird das **Alltägliche** ständig mit dem Wunsch des **Heldenhaften** in Zusammenhang gebracht. So wird dieses „Helden-Motiv" nicht nur im Titel angekündigt – wie ein roter Faden durchzieht es den gesamten Handlungsverlauf. Seine Karriere startet Klaus Uhltzscht als **Titelheld** einer Zeitschrift. Er eifert **heldenhaften Vorbildern** wie dem Kleinen Trompeter, Lenin oder Teddy (Ernst) Thälmann nach, bewährt sich **heldenhaft** an vorderster Front bei der Stasi und wird schließlich selbst zum **Helden der friedlichen Revolution**, da er derjenige ist, der die Mauer öffnen ließ.

Helden-Motiv

Klaus Uhltzschts Motivation, sich ganz im Dienst der historischen Mission der Arbeiterklasse zu bewähren, sich auszuzeichnen und damit gleichzeitig sich über andere zu erheben, um somit seine Vorreiterrolle in Sachen **Heldentat** für die sozialistische Heimat zu spielen, ist im Roman allgegenwärtig. Als Beispiel soll hier die Verwendung des in der DDR sehr bekannten Kampfliedes „Lied vom Kleinen Trompeter"[34] genannt werden, in welchem dem Mitglied des Rotfrontkämpferbundes Fritz Weineck aus Halle ein musikalisches Denkmal gesetzt wurde.

„Ein herzerweichend trauriges Lied von einem kleinen lustigen Freund, der, als man in einer friedlichen Nacht so fröhlich beisammen saß, von einer feindlichen Kugel getroffen wurde,

---

34 Simanowski, Roberto: *Die DDR als Dauerwitz.* ndl 2/96, S. 157

die sein Herz durchbohrte. Der Kleine Trompeter war – ich sage das zur Vermeidung von Kitsch mit heutigen Worten – ein Leibwächter Ernst Thälmanns, der sich bei einer Saalschlacht vor Thälmann stellte, als jemand mit der Pistole auf Thälmann zielte. Der Schuss fiel, der Kleine Trompeter wurde getötet, Thälmann passierte nichts. Danach wurde das Lied vom Kleinen Trompeter geschrieben, der ‚ein lustiges Rotgardistenblut' war. Ich war klein, ich war lustig, und das Wort ‚Rotgardistenblut' war für mich eines der vielen komplizierten Worte, die ich damals nicht verstand, ohne mir viel daraus zu machen. Warum also sollte ich mir unter dem Kleinen Trompeter nicht einen Knaben wie du und ich vorstellen? Ich mochte den Kleinen Trompeter, zumal dieses Lied bei einem Abendappell gesungen wurde, am 16. August, dem Todestag von Teddy. Ein zehnjähriger Pionier spielte nach der letzten Strophe ein Solo auf seiner Trompete, indem er die Melodie wiederholte, eine Melodie, die im Gegensatz zu den meisten Kampfliedern mal nicht kämpferisch daherkam, sondern geradezu herzerweichend. Sommernacht, weiche Trompetenklänge, stilles Gedenken an Teddy, das Klirren der Stahlseile an den Fahnenmasten ..." (S. 97/98)

Mit diesem Lied skizziert Brussig das Menschenbild des Totalitarismus, das zur Sozialisierung aller in der DDR Heranwachsenden gehörte: das „lustige Rotgardistenblut" gibt sein Leben für den KPD-Führer. Da Klaus ohnehin die „kleinste Trompete" besitzt, fühlt er sich als der wiedergeborene Kleine Trompeter:

„Ich war mir nicht sicher, ich war auch nicht glücklich, aber es musste natürlich weiterhin Menschen geben, die ihr Leben den Großen opfern (und damit einen wichtigen Beitrag für die gemeinsame große Sache leisten)." (S. 101)

So unsterblich, wie dieser durch das Lied gemacht wird – so unsterblich will der Titelheld im Kampf um den Sieg der „roten Welt" (S. 95) werden, bereit, sogar sein Leben dafür zu geben. „All diese Geschichten vermittelten mir nicht den Wert der Solidarität, sondern wie wenig ein Leben wert ist. Dass es um mehr geht als um nur ein Leben. Dass man sein Leben auch für eine höhere Sache opfern muss. Das machen alle so." (S. 99)

Seit dem Untergang der DDR konzentrierte sich das öffentliche Interesse weitgehend auf die Tätigkeiten des Ministeriums für Staatssicherheit (MfS), meist kurz als Stasi bezeichnet, um sich ernsthaft mit dem riesigen Bespitzelungsapparat auseinander zu setzen. Einen breiten Raum im Plot des Romans, angekündigt mit der bereits viel sagenden und vorausdeutenden Zwischenüberschrift „wbl. Pers. Str. hns. trat 8:34" (S. 147), nimmt deshalb auch Klaus Uhltzschts **Ausbildung bei der Stasi** ein, wobei er sich nie sicher ist, bei der „echten" Stasi zu arbeiten (vgl. z. B. S. 112 ff.). Er spricht auch über die so genannten IM's[35], die sich dazu verpflichteten, Informationen über Personen ihres näheren und weiteren Bekanntenkreises zu sammeln und diese weiterzugeben. IM's stellten die unterste Stufe der Stasi dar, sie wurden von hauptamtlichen Stasi-Offizieren angeworben und geleitet. Dabei standen die Offiziere unter hohem Erfolgsdruck – sie mussten oder wollten ihre Notwendigkeit und ihre Aktivität beweisen. Daher spornten sie nicht selten die ihnen untergebenen IM's an, eine immer größere Zahl von Berichten zu schreiben, immer neue Verdachtsmomente zu kolportieren. Nach den ersten erbitterten Abrechnungen mit der Stasi und ihren IM's unmittelbar nach der Wende wirkt Brussigs Darstellung der Stasi befreiend komisch.

---

35 IM = Inoffizieller Mitarbeiter

Episoden, die Klaus während bestimmter Beobachtungsauf-
gaben im Dienste der geheimen Mission zeigen, wobei er aber
nicht die leiseste Ahnung hat, zu welchem Zweck er seine
konspirative Tätigkeit ausführt, zeigen zugleich auch die Su-
che des Autors nach dem Sinn bestimmter Spezialaufträge.

> *„Ich kann Ihnen sagen, wie ich meine Situation verstand. Wie
> Sie wissen, war ich berufen, Großes zu vollbringen. Natürlich
> gab es in allem, was ich tat, einen tieferen Sinn, ein Sinn, der
> mir allerdings noch verborgen blieb. Aber die Stunde würde
> kommen, in der er sich offenbart. Irgend jemand verbindet eine
> Absicht damit, mich an einen unscheinbaren Ort zu versetzen
> und Dinge tun zu lassen, die eines Meisteragenten unwürdig
> sind. Jemand mit viel Macht und Weitblick, jemand, auf dessen
> Schreibtisch viele Telefone stehen, jemand, in dessen Händen
> alle Fäden zusammenlaufen und der sich mir zu erkennen gibt,
> wenn er die Zeit für gekommen hält. Mein Part in diesem Spiel
> war, auszuharren, meine Rolle zu spielen und mir nicht anmer-
> ken zu lassen, dass ich ein verwunschener Topspion bin. ...
> Jemand hatte Pläne mit mir, und alles, was mir geschieht, sind
> Mosaiksteine, die sich zu einem Bild fügen und einen Sinn
> ergeben werden."* (S. 168/169)

In all seinen Aktionen wird Klaus jedoch als unbefriedigt,
hilflos und verloren dargestellt. Dennoch bleibt ihm die Hoffnung, irgendwann einmal in geheimer Mission ins kapitalistische Ausland geschickt zu werden und als Vollender der sozialistischen Revolution Lorbeeren zu ernten.

Ein Grund für die Publikation des Romans liegt weiterhin
darin, dass Thomas Brussig der festen Überzeugung ist, ohne
Lachen sei nicht über die Wende zu kommen. „Lachen tötet

die Macht der Vergangenheit."[36] Gerade in den karikierten, überspitzten, fanatisch wirkenden Aktionen des Protagonisten als IM erscheint sein Tun (und damit gleichzeitig auch das Vorgehen vieler Stasi-Mitarbeiter) einfach lächerlich. (Unter diesem Aspekt sollte dazu die Episode der Observierung einer weiblichen, stark verdächtigen Person – wbl .Pers. Str. hns. trat 8:34 – auf S. 180–185 gelesen werden – urkomisch realistisch!) So stand manch einer, der im Nachhinein seine Stasiakte gelesen hat, derartigen Berichten über seine Bespitzelung nur noch kopfschüttelnd gegenüber. Auf diese Weise der Darstellung gelingt Brussig echte, wüst enthemmte ostdeutsche Bewältigungskomik eines gar nicht komischen Kapitels DDR-Geschichte!

> ostdeutsche Bewältigungskomik eines gar nicht komischen Kapitels DDR-Geschichte

Doch auffällig ist, dass Brussig **nicht** vordergründig mit pädagogisch erhobenem Zeigefinger **anklagt**. Er verachtet niemanden, der in der DDR groß geworden ist und die staatstragende Ideologie akzeptiert hat. Beim Autor „finden lautstarke Entrüstung und verzweifelte Nachdenklichkeit kein Sprachrohr."[37] Allerdings behandelt er prominente DDR-Künstler oder -Sportler äußerst respektlos. Dabei erscheinen die Kurzcharakteristiken von Katarina Witt:

> *„Zum Beispiel bei Katarinas großer Kür in Calgary, Olympische Spiele 1988, wir saßen nachts um vier vor dem Fernseher, Katarina Witt schwebte wie eine Prinzessin über das Eis, selbstvergessen, lächelnd, und alles, alles glückte ihr in dieser Kür, das Eis schmolz demütig unter ihren Kufen, und selbst die Scheinwerfer unter dem Hallendach strahlten vor Entzücken und waren stolz darauf, in Katis Strass glitzern zu dürfen... –*

---

36 Simanowski, Roberto: *Die DDR als Dauerwitz*. ndl 2/96, S. 160
37 Ebd., S. 159

> *da hielt meine Mutter den Augenblick für gekommen, eine tie-*
> *fen Blick in die Seele des Mannes zu werfen. ‚Und? Findest du*
> *sie 6i?'"* (S. 59)

und die der Entertainerin Dagmar Frederic: „Dagmar Frederic
ist eine Fernsehshow-Moderatorin, ungefähr so apart wie
Nancy Reagan. Verruchtere Frauen kamen uns nicht auf den
Bildschirm!" (S. 67) noch äußerst witzig. Provokativer verläuft
dabei jedoch die Auseinandersetzung mit der DDR-
Schriftstellerin Christa Wolf. Hier zeigt sich Brussig fast bösar-
tig – er provoziert haarscharf und handfest. Ähnlich wie der
brave Soldat Schwejk von J. Hasek oder Oskar Mazerath aus
Grass' *Blechtrommel* kann es sich der Schelm und Narr Klaus
Uhltzscht leisten, die Wahrheit offen zu sagen und Christa
Wolf zur Zielscheibe seines Spottes zu machen. Schon das
Wortspiel, das im Zwischentitel „Der geheilte Pimmel" (S. 277)
verwendet wird, deutet auf ihren ersten bedeutenden und
einen ihrer bekanntesten Romane *Der geteilte Himmel*. Mehr
als nur spitze Feder beweist der Autor bereits in der Wertung
des Eingangskapitels dieses Romans, das er als „Horror-
szenarium" wertet (S. 296). Voller Sarkasmus gibt er dem Leser seine Meinung preis: „Daran erkennt man die
Meisterautorin!" (S. 296) Höhepunkt des Spottes ist die Ause-
nandersetzung mit ihrer Rede vom 4. November 1989. Nicht
nur, dass er erst die „Meisterin des Worts" (S. 305) mit der
Eiskunstlauftrainerin Jutta Müller verwechselt („Eine echte
Eiskunstlauftrainerinnen-Rede, finden Sie nicht? ... Mr.
Kitzelstein, eigentlich wäre es zum Lachen, wenn es nicht so
scheißtragisch wäre – aber diese Mütter und Eislauftraine-
rinnen hängen wirklich am Sozialismus", S. 286/287), er stellt
„die Frau des authentischen Schreibens unter seiner Feder ...
(als) Pornoautorin"[38] dar.

---

38 Ebd.

Anscheinend ehrfürchtig verweist Brussig zunächst auf Erfolgswerke der namhaften Literatin Christa Wolf

Christa Wolf wird ironisch abgewertet

(S. 306), um diese im nächsten Moment ironisch abzuwerten, so z. B. einen „Liebesroman, ... der ... als Erektionstöter gute Dienste tat." (S. 307) Der unmittelbar nachfolgende Vergleich „... und ähnlich feurig waren ihre politisch intendierten Schriften" (S. 307) zeigen die Respektlosigkeit des jungen deutschen Autors Brussig. Immer wieder betont er die fiktive Zustimmung, die Christa Wolf für Klaus Uhltzschts Tat gegeben hätte. Schließlich will der Titelheld nicht nur Anerkennung erheischen, sondern sich auch im Einvernehmen mit intellektuellen Prominenten wissen, wenn es um eine wahrhaft bedeutungsvolle und historische Tat geht:

> *„Vielleicht hatte sie in ihrer Rede vom 4. November die Maueröffnung deshalb nicht gefordert, weil sie es in ihren Büchern schon Dutzende Male getan hatte? Vielleicht hatte sie es in der Aufregung einfach vergessen? Dann wäre ich zwar immer noch der, der die Mauer umgeschmissen hat, aber dann handelte ich zumindest im stillen Einverständnis mit der namhaftesten Literatin meines Landes, erwiese mich meiner fünf Bibliotheksausweise würdig. Ich wollte in ihren Büchern so lange suchen, bis ich meine Tat mit ihren Worten entschuldigen kann. ... Dann könnte man mir nicht mehr allein das Ende der Geschichte anhängen! Dann könnte ich geltend machen, dass ich im Einklang mit den aufgeklärtesten Geistern der Gesellschaft gehandelt hätte."* (S. 306)

Es geht dem Autor sicher nicht um plumpe Beleidigungen, das steckt nicht in seiner Absicht. Er greift unmissverständlich Christa Wolfs Worte von der Befreiung der Sprache auf und kleidet sie in seinen eigenen Stil. Auf für ihn ungeklärte Fragen wie „Was wird aus der DDR?" antwortet er im typisch Brussig'schen Ton: „Ein Dauerwitz" und erzählt somit in seinem Roman die „Das-Volk-sprengt-die-Mauer-Legende."

3. Themen und Aufgaben

Die Lösungstipps beziehen sich auf die Kapitel der vorliegenden Erläuterung.

1) Thema: Alltagsleben in der DDR

▶ Was erfahren Sie im Roman über den typischen DDR-Alltag?
Lösungstipp: siehe 1.2, 2.1

▶ Untersuchen Sie dazu Klaus Uhltzschts „Erfolge", die ihn bereits in seiner Kindheit und während seiner schulischen Erziehung zu einem „Vorbild" werden ließen!
Lösungstipp: siehe 2.2, 2.4

▶ Wie sieht der Titelheld seinen Beitrag zur Erfüllung der historischen Mission?
Lösungstipp: siehe 2.2, 2.4

▶ Formulieren Sie Klaus' politisches Weltbild!
Lösungstipp: siehe 2.4

2) Thema: Persönlichkeitsbild der Hauptfigur

▶ Fertigen Sie ein Textkaleidoskop zur Hauptfigur an! Nutzen Sie dazu prägnante Zitate, die der Ich-Erzähler zu seiner Selbsteinschätzung gibt!
Lösungstipp: siehe 2.4

▶ Welche Rolle spielen die Eltern für seine Entwicklung?
Lösungstipp: siehe 2.4

▶ Stellen Sie in einer Übersicht Klaus' Heldentaten zusammen und werten Sie diese!
Lösungstipp: siehe 2.2, 2.4

3) Thema: Sexualität

▶ Welche Erfahrungen macht der Titelheld während seiner Pubertät und wie wirken sich diese auf sein Sexualverhalten aus?

Lösungstipp: siehe 2.2, 2.4

▶ Worin sehen Sie die Ursachen für seine Komplexe?

Lösungstipp: siehe 2.2

▶ Stellen Sie in einer Kurzübersicht Klaus' Weg vom „Kleinen Trompeter" zum Helden der Wende dar und beachten Sie in diesem Zusammenhang vor allem seine sexuellen Erfahrungen!

Lösungstipp: siehe 2.2, 2.4

4) Thema: Provokation/Respektlosigkeit

▶ Nennen Sie Beispiele aus dem Roman, in dem sich die provokante, respektlose Abrechnung des Autors mit der DDR-Vergangenheit zeigt!

Lösungstipp: siehe 2.6, 2.7

▶ Wählen Sie dazu ein konkretes Beispiel aus und interpretieren Sie dieses!

▶ Welcher konkrete Zusammenhang zur DDR-Geschichte ist am gewählten Beispiel erkennbar?

Lösungstipp: siehe 1.2, 2.2, 2.7

5) Thema: Wirkung des Romans

▶ Informieren Sie sich über die Wirkung, die der Roman in Deutschland auslöste!

Lösungstipp: siehe 4., 5.

▶ Schreiben Sie selbst eine kurze Rezension für eine Zeitschrift Ihrer Wahl!

▶ Welchen Stellenwert nimmt das epische Werk des Autors Brussig in der Aufarbeitung der DDR-Vergangenheit der deutschen Literatur der 90er Jahre ein?

Lösungstipp: siehe 4., 5.

4. Rezeptionsgeschichte

Seit September 1995, Erscheinungsmonat des satirischen Wenderomans *Helden wie wir*, ist dieses Buch Gesprächsthema Nr. 1 nicht nur unter Feuilletonisten, Kulturfunktionären und Talkshow-Moderatoren. Es erreichte mühelos verschiedene Bestsellerlisten. Auch die Taschenbuchausgabe landete sofort unter den Top 20, wurde binnen kürzester Zeit rund 200.000 mal verkauft und bisher in sieben Sprachen übersetzt. Zu Recht bezeichnet Christoph Dickmann diesen Roman deshalb als „heiß ersehnt". Die Leser freuten sich über den bisher originellsten literarischen Nachruf auf die DDR. Kritiker nahmen das Buch jedoch zwiespältig auf. Dennoch dominierten bei den meisten Rezensenten Wertungen wie Originalität, Lesevergnügen und Komik. Einig ist man sich auch in der Einschätzung von Brussigs Erzählstil. Er wird von der Mehrheit der Kritiker als neuer Meister der „intelligenten Verarschung, gezielten Zuspitzung"[39], der brillant erzählt und unterhält, bezeichnet.

Originalität, Lesevergnügen und Komik

Große Namen der deutschen Literaturgeschichte wie Günter Grass und Wolf Biermann begrüßten das Buch recht euphorisch. So urteilte der zeitkritische Liedermacher und Kenner der DDR-Realität W. Biermann: „Ich empfehle es Ihnen – das Buch – es ist ein herzerfrischendes Gelächter."[40] Nobelpreisträger Grass bezeichnete es als „ein wütendes, brillantes, seinen aggressiven Ton haltendes Buch, ... sehr komisch."[41] Auch

---

39 Ebd., S. 162
40 Wolf Biermann (Der Spiegel) zitiert nach: http://www.ruhr-uni-bochum.de/malakow/theater/helden.htm
41 Günter Grass zitiert nach: http://www.ruhr-uni-bochum.de/malakow/theater/helden.htm

im Stern wurde das besondere Lesevergnügen hervorgehoben: „Schön zu lesen! So frech. So geistreich. So witzig und wüst enthemmt."[42]

In jedem Fall wurde das überaus amüsante Bild, das vom Autor über die weniger amüsante DDR-Vergangenheit gezeichnet wird, hervorgehoben und als bisher ungewöhnlichste Aufarbeitung der DDR-Geschichte bewertet. Ein „rebellischer, vergnügter und ehrlicher Entwicklungs-, Enthüllungs- und Schelmenroman, der in der deutschen Erzähltradition seinesgleichen sucht."[43]

> Entwicklungs-, Enthüllungs- und Schelmenroman

Der Roman gibt ein stimmiges DDR-Bild, vergnügt, bildhaft und „höchst unanständig, ganz und gar politisch korrekt und dazu auch noch komplett phallozentrisch."[44] *Helden wie wir* hat seine Leser im **vereinten** Deutschland, nicht nur in Ostdeutschland, gefunden. Günstig für das uneingeschränkte Verständnis sind sicher dabei einige „Grundkenntnisse" des ehemaligen DDR-Alltags. Der Roman vermittelt diese dem Adressaten sehr tiefgründig und satirisch, nicht nur zwischen den Zeilen. Im Spiegel schrieb dazu Wolf Biermann: „Dieser übermütige Schelm aus dem Osten Berlins liefert der Menschheit den ersten geistreichen Schelmenroman über einen stinknormalen Kämpfer an der unsichtbaren Front."[45] Biermann ist davon überzeugt, dass das Buch auch für „Westmenschen" eine willkommene Abwechslung ist, denn: „Brussig zeichnet das realsozialistische Sittenbild so schön gemein, so scharf, so

---

42 Brigitte Lahann (Der Stern) zitiert nach: http://www.ruhr-uni-bochum.de/malakow/theater/helden.htm
43 Karim Saab (Märkische Allgemeine) zitiert nach: http://www.ruhr-uni-bochum.de/malakow/theater/helden.htm
44 Tilmann Krause (Der Tagesspiegel) zitiert nach: http://www.ruhr-uni-bochum.de/malakow/theater/helden.htm
45 Wolf Biermann (Der Spiegel) zitiert nach: http://www.ruhr-uni-bochum.de/malakow/theater/helden.htm

lapidar mit Worten wie George Grosz das nationalsozialistische Pack der zwanziger Jahre mit Punkt und Linie."[46]

Aufgrund des großen Erfolges wurde der zurückhaltende Brussig schnell eine Person der Öffentlichkeit, musste Lesereisen machen und Interviews geben. Zudem griff er die Idee eines befreundeten Theatermanns auf, seinen Roman in ein Theaterstück umschreiben zu lassen. Die Dramatisierung (Bühnenfassung: Peter Dehler) hatte am 27. April 1996 in den Kammerspielen des Deutschen Theaters Berlin Premiere und läuft seither in ausverkauften Häusern, z. B. in Dresden, Chemnitz, Bochum, Bautzen und Altenburg. Das Publikum war und ist begeistert. So inszenierte u. a. Bernd Michael Baier am Chemnitzer Schauspielhaus seine ganz persönliche Fassung des Stücks. Dabei setzte er nicht nur auf „Klamauk" – er wollte dem ostdeutschen Zuschauer keineswegs den Weg in die „Schnellreinigung in Sachen Vergangenheit freimachen."[47] In jedem Fall fordert die Dramatisierung vom Akteur ein wahres Kabinettstück schauspielerischer Kunst mit perfekten mimischen und gestischen Regungen – ob siegessicher oder weinerlich, ängstlich oder größenwahnsinnig – die Meisterung von Verrenkungen eines typisch Verklemmten. Somit wird das Publikum mit einem Feuerwerk an komödiantischem Verwandlungsgeschick nicht nur köstlich unterhalten, sondern ihm wird auch gleichzeitig ein kurzer Abriss der DDR-Geschichte nahe gebracht.

Im Herbst 1999, als der 10. Jahrestag des Mauerfalls begangen wurde, „boomten" erneut so genannte Oststoffe. Film- und Fernsehleute wandten sich an erfolgreiche Autoren, dafür ei-

> Theaterstück: 1996 in den Kammerspielen des Deutschen Theaters Berlin Premiere

---

46 Ebd.
47 Freie Presse: Uwe Kreißig, 16. 12. 1996

nen Beitrag zu leisten. Von einigen wurde Thomas Brussig als „Generalbevollmächtigter für Nostalgie", als „Chronist der untergegangenen DDR, eben als „Ostexperte"[48] gehandelt. Deshalb schrieb er nun auch noch das Drehbuch zu seinem Helden-Roman. Der Film hatte am 9. November 1999 deutschlandweit Premiere, blieb aber hinter den Erwartungen etwas zurück.

> 1999 deutschlandweit Premiere des Films

Den Kinoerfolg des Jahres feierte jedoch Brussig gemeinsam mit dem Theatermann und gefeierten Kulturmacher Leander Haußmann mit der *Sonnenallee*, die als „liebevolle Komödieninszenierung"[49] einen Spitzenplatz in den Kinocharts einnahm.

---

48 Hage, Volker: *Jubelfeiern wird 's geben.* Interview mit Thomas Brussig. Spiegel 36/99, S. 255–257
49 Forchner, Hanka: *Über allem strahlt die Sonne.* Focus 45/99, S. 294

5. Materialien

Als im Verlag Volk und Wissen 1995 der Wenderoman *Helden wie wir* erschien, lag dieser monatelang auf Platz 1 der ostdeutschen Bestsellerlisten. Der junge Autor Thomas Brussig fühlte sich nach seinem wenig erfolgreichen Erstversuch *Wasserfarben* (1991) mit diesem Erfolg erstmals bestätigt und literarisch ernst genommen. Sein Heldenroman wird deshalb sicher zu Recht als das „muntere Satyrspiel auf den Untergang der DDR: kotzig, klamaukig, obszön"[50] bezeichnet. Damit zeigt sich Thomas Brussig als Autor, der „grelle Übertreibungen und skurrile Einfälle liebt."[51]

Deutlich und unmittelbar erlebbar wird das auch in der Dramatisierung des Romans als Einpersonenstück, das seit seiner Uraufführung 1996 auf mittlerweile 50 Bühnen des In- und Auslandes gespielt wurde. Für die Zuschauer ist es ein ungeteiltes Vergnügen, Klaus Uhltzschts gedanklichen Purzelbäumen zuzuhören. In dem getreuen Abbild eines Spießers in seiner widerwärtigen Machart wird nicht nur DDR-Spezifisches gezeigt, sondern über das konkrete Beispiel DDR hinaus das Unausrottbare solcher Typen wie Klaus Uhltzscht erfasst. Das monologische Schauspielstück geht weit über ein pures Kabinettstückchen hinaus. Der Zuschauer wird nicht nur unterhalten, sondern ihm wird gleichzeitig ein Spiegel vorgehalten. Die Darstellung der sexuellen und politischen Perversion des Helden enthält Hintersinniges. Uhltzscht wird schließlich nicht eindimensional dargestellt, sondern als Figur mit Träumen, Hoffnungen und Wünschen. Er ist Stasi-Spitzel, aber nicht schuldiger als andere auch. Damit wird deutlich, dass

---

50 Hage, Volker: *Jubelfeiern wird 's geben*. Interview mit Thomas Brussig. Spiegel 36/99, S. 253
51 Ebd. S. 252

Brussig meisterhaft das Phänomen „Wende" im Handstreich eroberte. Kein Wunder, dass deshalb besonders die Bühnenfassung des Wenderomans das Publikum begeisterte. Teilweise sollte ihnen bewusst das Lachen im Halse stecken bleiben und sie eher zu einem ernsten Nachdenken über Fragen wie: ‚Wie habe ich mich verhalten? War es falsch, dass ich mitgemacht habe?' gelenkt werden. Es kommt sicher auch der Intention des Autors nahe, dass die Inszenierungen, vor allem die Chemnitzer von Bernd-Michael Baier, nicht als platte Lachnummer präsentiert wurden.

Pünktlich zum 10. Jahrestag des Mauerfalls kam der ebenso ungewöhnliche wie publikumswirksame Stoff als Film in die Kinos. Der Regisseur Sebastian Petersons lässt den Titelhelden als „Forrest Gump im Wilden Osten" erscheinen und entlarvt das dumpfe Spießertum der DDR auf oft bizarre Weise. Am Ende wird sogar der Mauerfall als unfreiwilliges Ergebnis eines Zufalls dargestellt, der mit Uhltzschts erst viel zu klein und schließlich viel zu groß geratenem Genital zusammenhängt. Dabei verwendet er Filmmaterial und Farben aus dem Stand der Zeit der jeweiligen Handlung und verknüpft viele Szenen geschickt mit Dokumentarfilmmaterial. Diese Momentaufnahmen, z. B. DDR-Nachrichten, atmen mitunter eine geradezu fantastische Irrealität und dienen als ungeschminkte Zeugnisse des „realen Sozialismus." Im Film erzählt die DDR sich selbst und lässt so keine Fragen über ihr Schicksal offen. Er bleibt dennoch dicht an der Romanvorlage und zeugt ebenso von Situationskomik wie das epische Original.

Literatur

Die Forschungsliteratur über Brussigs *Helden wie wir* ist über-
schaubar. Nach der Publikation 1995 äußerten sich Literatur-
kritiker und Literaten äußerst kritisch über das Werk von
Thomas Brussig, was in den unten aufgeführten Zeitschriften
nachlesbar ist.
Umfassende Interpretationshilfen sind derzeit jedoch noch
nicht erhältlich, so dass man die Recherchen zu diesem The-
ma lediglich auf Fachliteratur, welche die DDR-Geschichte
behandeln, beschränken muss.

1) Zitierte Ausgabe

Brussig, Thomas: *Helden wie wir*. Frankfurt am Main: Fi-
scher Taschenbuchverlag, 10. Auflage, Mai 2001

2) Sekundärliteratur

Koelbl, Herlinde: *Im Schreiben zu Haus. Wie Schriftsteller zu
Werke gehen*. München: Verlag Knesebeck, 1998

Lahann, Birgit: *Geliebte Zone. Geschichten aus dem neuen
Deutschland*. Stuttgart: Deutsche Verlagsanstalt (DVA), 1997

3) Zeitschriften/Tageszeitungen

Forchner, Hanka: *„Über allem strahlt die Sonne"*, Focus 45/99, S. 294

Hage, Volker: *„Die Enkel kommen"*, Spiegel 41/99, S. 244–254

Hage, Volker: *„Der Westen küsst anders"*, Spiegel 36/99, S. 252–257

Lahann, Birgit: *„Trommelwirbel für die Bauchgeburt"*, Stern 41/99, S: 64–66

Simanowski, Roberto: *„Die DDR als Dauerwitz?"*, ndl 2/96, S. 156–163

Kreißig, Uwe: *„Berichte des wahren Olympiers vom Mauerfall"*, **Freie Presse – Chemnitzer Tageszeitung**, 16. 12. 1996, S. Kultur

Freie Presse – Chemnitzer Tageszeitung, 12. 01. 2001, S. A3

4) Materialien aus dem Internet

http://www.ruhr-uni-bochum.de/malakow/theater/helden.htm
(Text und Zusammenstellung von Heiner Fangerau-Lefevre, umfangreiche Liste verschiedener Rezensionen zur Bühnenfassung von „Helden wie wir".)

http://www.thomasbrussig.de
(Offizielle Homepage von Thomas Brussig, mit Informationen über seine Werke, Filme, seine Theatertätigkeit, Publizistik, Interviews, Rezensionen, Porträts und einer Biografie.)

Bitte melden Sie dem Verlag „tote" Links!

5) Lexika/Nachschlagewerke

Das große illustrierte Lexikon. München: Orbis Verlag für Publizistik GmbH
(Dieses Lexikon liefert, präzise, zuverlässige, aktuelle Einzelinformationen und weist verständliche und verwertbare Informationen in jedem Sachbereich auf.)

Microsoft® Encarta® Enzyklopädie 2001. © 1993–2000 Microsoft Corporation
(Das auf CD Rom erhältliche Lexikon weiß nicht nur durch fachliche Kompetenz zu überzeugen, sondern unterlegt Recherchen oftmals auch mit Bildmaterial und ermöglicht eine schnelle und präzise Nachforschung.)

Verfilmungen von Brussigs Werken:

Helden wie wir. BRD 1999.
Regie: Sebastian Peterson.
Drehbuch: Thomas Brussig, Markus Dittrich, Sebastian Peterson.

Am kürzeren Ende der Sonnenallee. BRD 1999.
Regie: Leander Haußmann.
Drehbuch: Thomas Brussig, Leander Haußmann.